BARRIE PUBLIC LIBRARY
31862800017424
D0166714
Charlotte
et son chat
invisible
Bêtises
en série

Pour mes muses, Ava et Ruby,
et pour grand-père Bill,
qui a fêté ses cent ans le 13 février 2014.

Bêtises en série

Une histoire de Pip Jones
illustrée par Ella Okstad
Adaptation française de Mim

MILAN

Est-ce que tu vois

ce petit chat ?

Il est blanc comme la neige,

doux comme une peluche.

Il te suffit de l'imaginer.

Ferme les yeux. Attention !

Je te présente...

Monsieur Moustache,

le chat invisible !

1

Aujourd'hui, Charlotte joue dans le jardin.

Elle a attrapé un, deux, trois... papillons dans son filet !

Quelle chance !

Soudain, elle entend quelque chose bouger dans le potager...

Charlotte s'approche.

Au milieu des feuilles, elle trouve

une jolie petite boule blanche.

Charlotte se penche :

c'est un chaton !

Il agite sa queue fièrement.

Qu'il est mignon !

Il a une belle fourrure

et de ravissantes moustaches.

Mais c'est un petit chat spécial :

il est invisible !

– Ce n’est pas grave !
dit Charlotte. Même si tu es
invisible, tu peux être mon ami.
Le petit chat miaule et se roule
sur le dos. Il a l’air ravi !

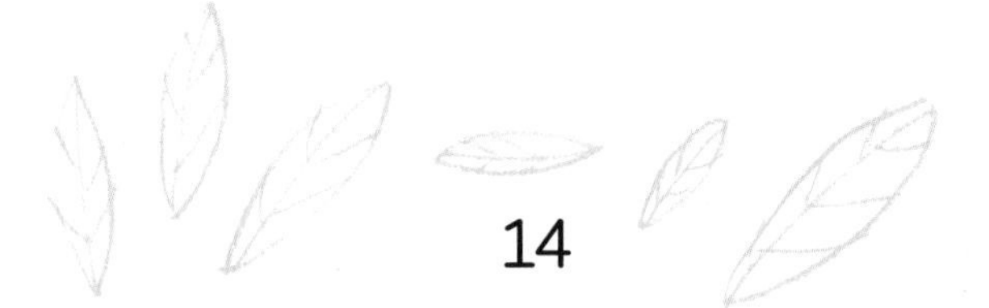

– Psst ! chuchote Charlotte.

Tu as vu ce pigeon ?

On dirait que le chat a compris.

Il ne bouge plus.

– Prêt ? À l'attaque ! crie

Charlotte.

Les deux amis s'élancent !

Floup, floup ! Le pigeon perd quelques plumes, mais réussit à s'envoler.

Zut ! Pour cette fois, c'est raté...

– On l’attrapera la prochaine

fois ! pouffe Charlotte.

Il est l'heure de rentrer.
Charlotte ne veut pas laisser
son nouvel ami dehors.
– Et si tu venais chez moi ?
propose-t-elle.
Le chaton la suit jusque
dans la cuisine où Maman
fait un peu de rangement.

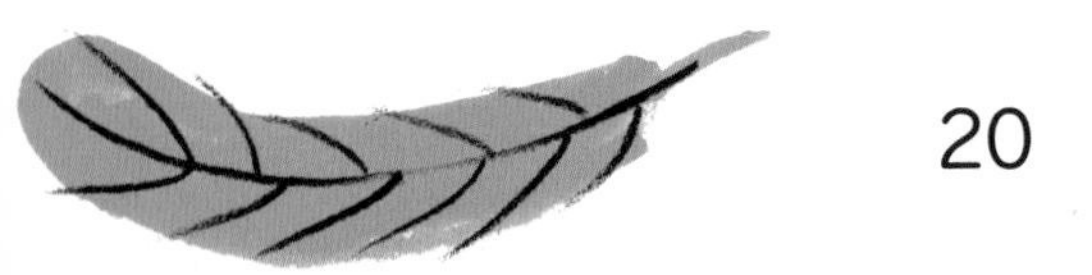

– Je te présente mon petit chat ! annonce Charlotte.

Surprise, Maman regarde partout, mais ne voit rien.

– Derrière toi, derrière toi ! crie Charlotte. Regarde où tu mets les pieds ! Tu vas l'écraser...

– Comment ça ?

s'exclame Maman.

Mais il n'y a pas de chat !

– Mais si ! Il a même sauté

sur ton dos !

Maman sourit.

– Ah, c'est un chat farceur ?

– Maman, soupire Charlotte.

Fais un effort…

Elle prend son chat invisible

dans les bras.

– Je te présente Monsieur

Moustache !

Ça y est, Maman a compris !

Elle s'approche et dit :

– Enchantée de faire votre connaissance, Monsieur Moustache ! Et si on lui donnait à manger ? propose Maman. Il a peut-être faim.

Charlotte se demande ce que

peut manger un chat invisible.

– Je sais ! s'exclame Maman.

Il me reste un peu de poisson

invisible !

Quel **festin** ! Monsieur Moustache se régale ! Puis, le ventre bien rempli, il a envie de faire une sieste. Comme il est **dorloté** dans cette maison, il décide de rester.

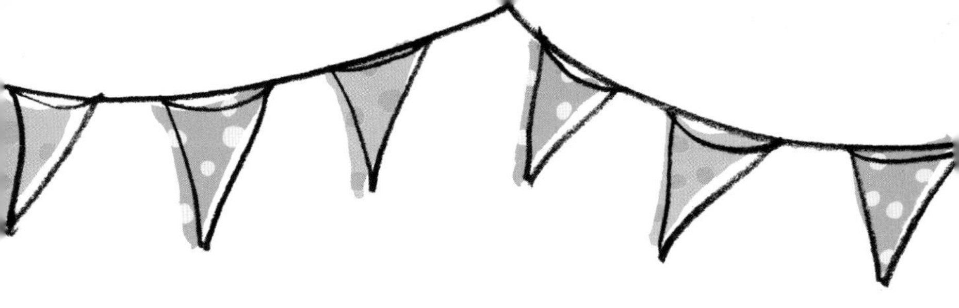

Les jours passent, puis les semaines. Charlotte s’occupe beaucoup de son petit chat. Elle adore jouer avec lui. Et tous les matins, elle lui donne un bol de croquettes invisibles !

Et si, par hasard, Monsieur

Moustache attrape la grippe ?...

Pas de souci, il suffit

de l'emmener chez

le vétérinaire imaginaire !

Pourtant, il y a un petit

problème...

Dès qu'il y a une bêtise,

Charlotte a un coupable idéal.

Le sel est renversé à table ?

C'est Monsieur Moustache,

bien sûr !

De la peinture sur le tapis ?

C'est encore Monsieur

Moustache !

– Dis donc, Charlotte ! **rouspète** Maman. Ce n'est quand même pas Monsieur Moustache qui a défait tout mon tricot ?

– Il n'a pas fait exprès, marmonne Charlotte.

– Ah oui ? Et si mes bottes sont remplies d'eau ce matin, c'est la faute de Monsieur Moustache ?

Charlotte regarde le bout de ses pieds. Vite, il faut trouver une bonne excuse...

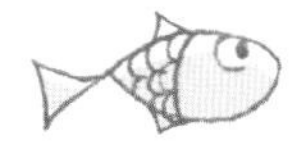

– Je voulais lui apprendre
à pêcher…
Sacré Monsieur Moustache !
Il faut dire qu'il se glisse
toujours là où il ne faut pas,
comme sur le fauteuil de Papa.
– Lève-toi ! crie Charlotte.
Tu sais bien que c'est la place
de mon chat !

Et quand Maman décide
de faire un câlin à Monsieur
Moustache, Charlotte ne peut
s'empêcher de rigoler !
– Maman, enfin ! Tu ne vois pas
que tu le tiens à l'envers ? Là,
tu lui grattes les fesses !
Mais, bien sûr, cette pauvre
Maman ne voit rien !

– Bon ! dit Maman. Et si tu proposais à Monsieur Moustache de nous attraper quelques souris ? Ça l'occuperait, au lieu de faire des bêtises…

Charlotte hausse les épaules. Attraper des souris, vraiment ? Quand on est invisible ?

La vérité, c'est que Charlotte s'amuse comme une folle avec Monsieur Moustache. Mais elle voit bien que Maman commence à **s'agacer**... Que faire ?

Elle a une idée…

Une très bonne idée, même !

Ce soir-là, Maman décide

de prendre un bain. Un bon

bain chaud, comme tous les

dimanches soir. Mais lorsqu'elle

entre dans la salle de bains…

Quelle horreur !

Elle voit d'abord beaucoup

de vapeur… puis des branches,

des feuilles. On se croirait

dans une forêt ! Il y en a même

dans la baignoire !

– Mais qui a fait ça ? crie-t-elle.

Charlotte ? Tu es là ?

C’est un désastre. Il y a
de la terre sur le carrelage,
sur la fenêtre et même sur
les murs ! L’eau coule à flots...

– Ooooh non ! **gémit** Maman,
désespérée. Quelle catastrophe !

Elle respire un grand coup

pour se calmer.

– Bon, soupire-t-elle, après

tout, ça se lave... Ce n'est pas

si grave.

Mais soudain un pigeon affolé

lui vole sous le nez !

Alors là, c'en est trop !

Maman hurle et, paniquée, ouvre la fenêtre. Le pigeon s'enfuit. Et là, au milieu des plantes, Maman découvre… Charlotte, tout habillée !

– C'était pour jouer aux explorateurs avec Monsieur Moustache… commence Charlotte.

– Ah oui ? la coupe Maman.
Eh bien maintenant, tu vas
m'aider à nettoyer ! Quant
à Monsieur Moustache,
ça ne peut plus continuer !

3

Le lendemain matin,
au petit déjeuner, Maman
dit en souriant :
– Monsieur Moustache a-t-il
déjà voyagé ? Peut-être
que ça lui plairait de voir
un peu de pays ?
Charlotte réfléchit. Ce n'est pas
une mauvaise idée...

Son chocolat terminé, elle va ouvrir la porte du jardin.

– Allez, Monsieur Moustache ! Va te promener, l'encourage-t-elle.

Monsieur Moustache sort faire un tour, mais il rentre vite...

Maman insiste :

– Il devrait aller plus loin, et faire le tour du monde ! Tous les chats aiment l'aventure.

Charlotte prépare un petit sac de croquettes invisibles.

– Tiens, Monsieur Moustache, comme ça, tu ne manqueras de rien !

Le chat s'éloigne gaiement.

Mais, le lendemain matin,

il est de retour.

Monsieur Moustache se sent

très bien chez Charlotte !

Il n'a aucune envie de partir.

Mais Maman **en a assez**...

– Charlotte, si ton chat reste ici,

il faut l'éduquer !

Maman décide d'appeler Grand-Père. Il est très vieux et n'y voit plus très clair, mais il sait vraiment s'y prendre avec les animaux impossibles... et en particulier avec les chats invisibles !

Voilà, Grand-Père est arrivé,
et Charlotte est ravie !
– Viens vite ! Je vais te
présenter mon nouvel ami !
C'est un petit chat !
– Je le connais : on m'en a
parlé, lui chuchote Grand-Père
en l'embrassant.

Pendant que Grand-Père
s'installe, Charlotte joue
avec Monsieur Moustache.
Justement, il est en pleine forme
aujourd'hui, et il accumule
les bêtises ! Que c'est drôle !

– Dis donc, Charlotte !

dit Grand-Père.

Si tu te comportais

comme ce chat,

tu sais ce que

tes parents feraient ?

– Tu serais punie!

poursuit Grand-Père.

Tu n'aurais plus de bonbons, plus de télé, et plus de copains à la maison… Jusqu'à ce que tu sois sage! Mais comme c'est le chat, et pas toi… Il suffit qu'il parte pour **avoir la paix**, non?

En entendant

ces mots, Monsieur

Moustache se

réfugie derrière

Charlotte.

– Comment ça, *qu'il parte* ? s'écrie Charlotte. Et où irait-il ?

– Écoute, ma petite, explique Grand-Père. Tu sais bien que les chats sont un peu difficiles.

Charlotte réfléchit tandis que Grand-Père continue :

– Imagine qu'il sente une bonne odeur chez les voisins... Et que tes parents, un peu **lassés** de ses bêtises, décident soudain...

de le priver de poisson invisible !

Il n'aurait plus de croquettes !

Plus de bonnes choses

à manger ! Rien que

de la pâtée pour chiens...

– Je suis sûre qu'il ne le fait pas exprès ! pleurniche Charlotte.

Monsieur Moustache baisse la tête. Il a l'air vraiment triste. Charlotte l'aime tellement ! Elle ne veut surtout pas qu'il s'installe chez les voisins. Elle renifle et s'essuie le nez dans sa manche.

– Il va faire des progrès ! promet
Charlotte. Et je vais l'aider !
Grand-Père hoche la tête.
Un grand sourire éclaire
le visage de Papa et Maman.
Quant à Monsieur Moustache,
il pousse un petit miaou !

Juste pour dire...

... qu'il va au moins essayer !

FIN

Retrouve de nouvelles aventures de

Charlotte et Monsieur Moustache

dans

Charlotte et son chat invisible

Panique au supermarché

Parution mai 2016

Découvre
les autres livres
de la collection
Benjamin !

Après ***Milan Poche Benjamin***, l'aventure
continue avec
Milan Poche Cadet !

1, rond-point du Général-Eisenhower,
31100 Toulouse, France.

Mise en pages : Bénédicte Lainé.

editionsmilan.com

Loi 49.956 du 16 juillet 1949
sur les publications destinées à la jeunesse.
Dépôt légal : 1er trimestre 2016.
ISBN : 978-2-7459-7535-5.
Imprimé en Slovénie par DZS.